D1289766

Pour Tite Mélusine
Q.G.

18, rue de l'Ouvrage
5000 Namur

ISBN 978-287142-636-3
D/2009/3712/22

Imprimé en Belgique

Quentin Gréban

Mais pourquoi les loups sont-ils si méchants ?

Mijade

Un loup, ça mange de tout…
Un petit agneau bien tendre, trois petits cochons bien dodus,
ou un petit chaperon bien rouge.
Les loups sont très méchants, tout le monde le dit !
Laissez-moi vous raconter pourquoi.

Il y a fort longtemps vivaient un loup et ses petits.
Oh, ce n'était pas encore un grand méchant loup,
mais un loup discret qui ne posait de problèmes à personne.

Un jour, alors qu'il croise un jeune agneau qui s'est éloigné du troupeau, le loup lui fait un grand sourire en guise de bonjour.
Un sourire si grand que l'on voit briller toutes ses belles dents blanches.

Le petit agneau a très peur de toutes ces quenottes qu'il trouve fort pointues et court chercher refuge chez ses amis les cochons.

Il leur raconte son aventure.

« Un méchant loup m'a attaqué.
Il a voulu me mordre avec ses grandes dents pointues. »

Un agneau, ça exagère toujours un peu !

Les cochons sont offusqués!
Attaquer un pauvre petit agneau comme ça, quelle honte!
Ils ne peuvent s'empêcher d'expliquer à l'oie la triste vérité.

«Un loup immense, avec des dents grandes comme des couteaux, a voulu dévorer un pauvre petit agneau.»

Les cochons, ça exagère toujours un peu!

L'oie est outrée!
Attaquer un agneau sans défense, quel scandale!
Elle va bien sûr raconter à l'âne la terrible vérité.

«Un loup gigantesque avec des dents grandes comme des sabres a dévoré toute une famille d'agneaux. Il paraît même qu'il les a avalés tout crus.»

Une oie, ça exagère toujours un peu.

L'âne est scandalisé !
Attaquer un troupeau d'agneaux comme ça, quelle horreur !
Il va sans attendre raconter au rat l'atroce vérité…

« Un immense loup féroce
avec des dents grandes comme des lances
s'est attaqué à tout un troupeau de moutons.
Pas un ne s'en est sorti. »

Un âne, ça exagère toujours un peu.

Le rat est horrifié !
Tout un troupeau d'un coup, c'est insoutenable !
Il fait bien sûr part aux poules de la fatale vérité.

«Les loups sont lâchés !
Tous les animaux du monde sont en danger !»

C'est la panique !
Pendant que les poules
cherchent un abri,
les poussins propagent la nouvelle.

C’est ainsi que la rumeur grandit…

…grandit !

Bientôt, tous les animaux racontent ce qu'a fait ce grand méchant loup.

« Il est laid », dit l'un.

« Il est méchant », dit l'autre.

« Il est monstrueux », affirment les suivants.

La panique est générale.

« Sauve qui peut !
Un animal monstrueux
s'en prend à tous les animaux
qu'il croise sur son chemin.
Il est grand, il est laid et il a faim. »

BRACHENHORST

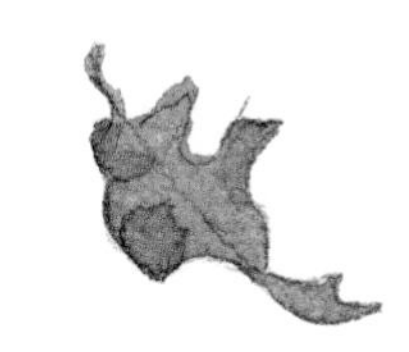

Le loup, quant à lui, vit tranquillement
et n'a pas entendu la rumeur enfler.
Mais un jour, il surprend une conversation entre deux mésanges :

« Un monstre cruel rôde dans les parages
et dévaste tout sur son passage. »

« Un monstre cruel ? » se dit le loup. « Quelle horreur ! »

Soudain, le ciel se couvre de gros nuages.
Le tonnerre gronde alors si fort
que le loup en est sûr,

le monstre est là !

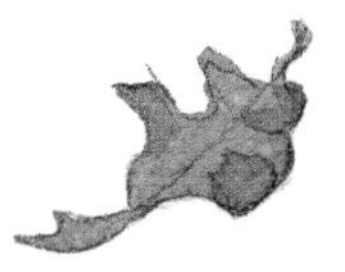

Et ce soir, il veut manger du loup !

Jamais on n'a vu un loup courir si vite et si loin.
On ne l'a plus revu dans la région !

Un loup, ça exagère toujours un peu.

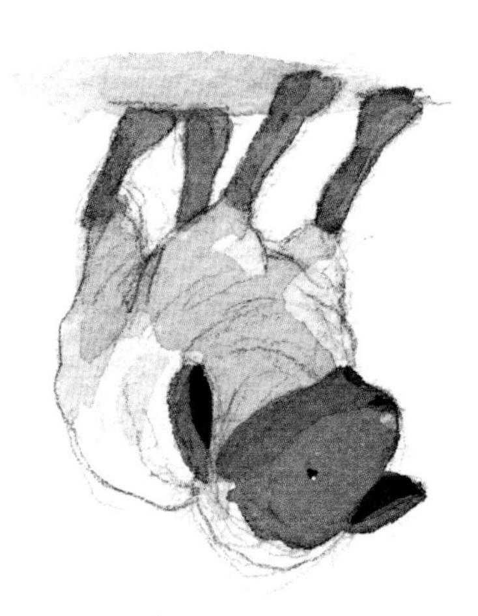

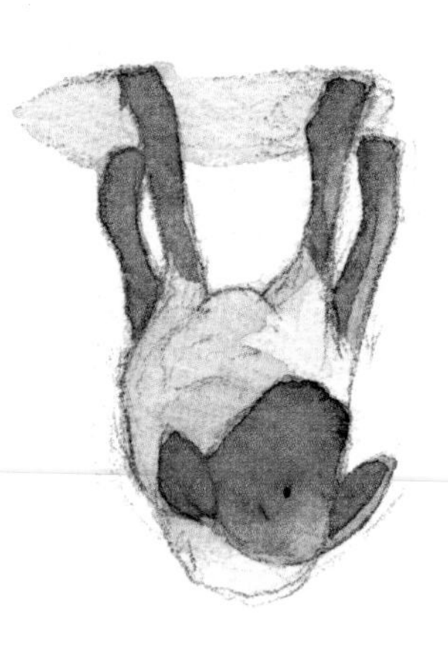